初出 ―――― ARIA2014年1月号～4月号

編集部では、この作品に対する読者の皆様の
ご意見・ご感想をお待ちしております。
〒112-8001 東京都文京区音羽2-12-21
講談社ARIA編集部 KC「進撃の巨人 悔いなき選択」係
なお、お送りいただいたお手紙・お葉書は、ご記入いただいた個人情報を含めて著者にお渡しすることがありますので、あらかじめご了承のうえ、お送りください。

装丁 ―― 下山 隆 (Red Roostar)

この作品はフィクションです。
実在の人物・団体・出来事などとは、一切関係ありません。

KCDX3561

進撃《しんげき》の巨人《きょじん》 悔《く》いなき選択《せんたく》①

2014年4月9日 第1刷発行 (定価は外貼りシールに表示してあります。)
2014年5月22日 第3刷発行

漫　画　駿河《するが》ヒカル
原　作　諫山創《いさやまはじめ》
ストーリー原案　砂阿久雁《すなあくがん》(ニトロプラス)
協　力　「進撃《しんげき》の巨人《きょじん》」製作委員会《せいさくいいんかい》

発行者　清水保雅
発行所　株式会社 講談社
〒112-8001 東京都文京区音羽2-12-21
電話 編集部 東京(03)5395-4161
販売部 東京(03)5395-3608
業務部 東京(03)5395-3603

印刷所　図書印刷株式会社
本文製版所　豊国印刷株式会社
製本所　株式会社若林製本工場

講談社

N.D.C.726 167p 19cm Printed in Japan
ISBN978-4-06-376961-6

Monthly Comic
第9回
ARIA《アリア》コミックグランプリ大募集!!
即デビュー&連載化続出!!
ARIAコミックグランプリはここがすごい!
毎回1名以上の本誌掲載確約!
同人誌発表作品も応募可能!
賞金
グランプリ 50万円
準グランプリ 30万円
佳作 ※佳作以上でデビュー 10万円
奨励賞 3万円
副賞
※佳作以上のデビュー者に
CLIP STUDIO PAINTシリーズ
締め切り
2014年9月30日(火)消印有効
審査員
木乃ひのき先生『NO.6』
車谷晴子先生『兄が妹で妹が兄で。』
ARIA編集長
応募のきまりなど詳しくはARIA公式サイトに!
http://aria-comic.jp
第1回グランプリ受賞者最新作!
ご機嫌ななめ?ドロシーは
ほおのきソラ
第5回佳作受賞作即連載中!
かみだらけ
殿ヶ谷美由記
ARIA《アリア》W巨弾連載、進撃中!!!
ARIAは毎月28日ごろ発売!
「人類最強」はいかにして誕生したか——。
進撃の巨人
悔いなき選択
原作/諫山創(「進撃の巨人」) 脚本/砂阿久雁(ニトロプラス)
漫画/駿河ヒカル 協力/「進撃の巨人」製作委員会
大人気アニメ『K』、セプター4の物語。
K -デイズ・オブ・ブルー-
漫画/黒榮ゆい ストーリー原作/来楽零(GoRA)
原作/GoRA・GoHands

“人《じん》類《るい》最《さい》強《きょう》”は
いかにして誕《たん》生《じょう》したか——
進《しん》撃《げき》の巨《きょ》人《じん》
Birth of Levi
悔《く》いなき選《せん》択《たく》
大《だい》好《こう》評《ひょう》連《れん》載《さい》中《ちゅう》！
原《げん》作《さく》／諫《いさ》山《やま》創《はじめ》（「進《しん》撃《げき》の巨《きょ》人《じん》」）
ストーリー原《げん》案《あん》／砂《すな》阿《あ》久《く》 雁《かん》（ニトロプラス）
漫《まん》画《が》／駿《する》河《が》ヒカル
協《きょう》力《りょく》／「進《しん》撃《げき》の巨《きょ》人《じん》」製《せい》作《さく》委《い》員《いん》会《かい》
コミックスの続《つづ》きは…
MONTHLY COMIC
ARIA《アリア》
非《ひ》日《にち》常《じょう》的《てき》ガールズコミック誌《し》
毎《まい》月《つき》28日《にち》ごろ発《はつ》売《ばい》
豪《ごう》華《か》連《れん》載《さい》陣《じん》
naked ape《ネイキッド エイプ》 日《ひ》吉《よし》丸《まる》晃《あきら》 チカ 青《あお》井《い》みと＋アイディアファクトリー 由《ゆ》貴《き》香《か》織《お》里《り》 香《こう》月《つき》日《ひの》輪《わ》＋わたなべあじあ 黒《くろ》榮《え》ゆい＋来《らい》楽《らく》零《れい》(GoRA《ゴーラ》)＋GoRA《ゴーラ》・GoHands《ゴーハンズ》 硝《しょう》音《おと》あや 山《やま》中《なか》ヒコ 車《くるま》谷《たに》晴《はる》子《こ》 なるしまゆり ほおのきソラ 暁《あかつき》かおり＋石《いし》田《だ》リンネ＋起《おき》家《や》一《いち》子《こ》 櫻《さくら》井《い》しゅしゅしゅ 殿《との》ヶ《が》谷《や》美《み》由《ゆ》紀《き》 くまだゆか＋ルビーパーティ 堂《どう》本《もと》奈《な》央《お》 キリシマソウ 城《き》戸《ど》みつる

ARIA《アリア》コミックス絶《ぜっ》賛

好《こう》評《ひょう》既《き》刊《かん》

チカ
これは恋《こい》のはなし ①〜⑩

31歳《さい》×10歳《さい》のラブストーリー

堂本奈央《どうもとなお》
スリーピングビューティー ①〜②

遠山《とおやま》えま
GDGD-DOGS《グダグダドッグス》 全《ぜん》3巻《かん》

殿ケ谷美由記《とのがやみゆき》
かみだらけ ①〜

読《よ》めば開運《かいうん》!? 神様《かみさま》コメディ☆

豊田悠《とよたゆう》
ホテル・ラヴィアンローズ 全《ぜん》1巻《かん》

尚月地《なおつきち》
廃墟少女《はいきょしょうじょ》 全《ぜん》1巻《かん》

中邑天《なかむらてん》
志士《しし》っぽいの。 全《ぜん》1巻《かん》

夏目《なつめ》ココロ
黒鉄《クロガネ》ガール 全《ぜん》2巻《かん》

なるしまゆり
ライトノベル 全《ぜん》4巻《かん》
ぼくと美《うつく》しき弁護士《べんごし》の冒険《ぼうけん》 ①〜②

naked《ネイキッド》 ape《エイプ》
Magnolia《マグノリア》 全《ぜん》7巻《かん》

ネスミチサト
ジャウハラ幻夜《ライラ》 上《じょう》・下《げ》巻《かん》

英貴《ひでき》
マノン 警官見習い中《けいかんみならいちゅう》 全《ぜん》1巻《かん》
ヒミツの薔薇十字団《ローゼン・クロイツ》 全《ぜん》2巻《かん》

日吉丸晃《ひよしまるあきら》
王子様降臨《おうじさまこうりん》 全《ぜん》1巻《かん》
初恋《はつこい》モンスター ①〜②

ほおのきソラ
ワンニン! 全《ぜん》5巻《かん》
ドロシーはご機嫌《きげん》ななめ? ①〜②

槙《まき》ようこ×持田《もちだ》あき
ピカ☆イチ 全《ぜん》7巻《かん》

松永冴《まつながさえ》
CD《シーディー》付《つ》き
声優戦隊《せいゆうせんたい》ボイストーム7《セブン》
声優戦隊《せいゆうせんたい》ボイストーム7《セブン》リターンズ

三上骨丸《みかみほねまる》
お耽美容室《たんびようしつ》
サロン・ド・キリヒコ 全《ぜん》1巻《かん》

ミキマキ
摩訶《まか》ソサエティ
COOL JAPAN《クールジャパン》ゼミナール
だからオタクになりなさい!
今日《きょう》もオタクは最高《さいこう》です!

もち
ケモノキングダム ZOO《ズー》 全《ぜん》2巻《かん》

山崎《やまざき》あろえ
墓守《はかも》り魔女《まじょ》
ビアンカ 全《ぜん》1巻《かん》

山中《やまなか》ヒコ
王子様《おうじさま》と灰色《はいいろ》の日々《ひび》 全《ぜん》4巻《かん》

由貴香織里《ゆきかおり》
異《イ》域《イキ》之《ノ》鬼《キ》 全《ぜん》6巻《かん》

厘《りん》のミキ
骸《むくろ》シャンデリア 全《ぜん》3巻《かん》

わたなべあじあ
全裸男《ぜんらおとこ》と柴犬男《しばいぬおとこ》
警視庁生活安全部遊撃捜査班《けいしちょうせいかつあんぜんぶゆうげきそうさはん》
(原作/香月日輪) ①〜

視《み》える男《おとこ》×霊感《れいかん》ゼロ男《おとこ》が大活躍《だいかつやく》!?

オムニバス
だって大好《だいす》きなんだもん。 全《ぜん》1巻《かん》

発《はつ》売《ばい》中《ちゅう》!!

ARIA《アリア》コミックスは毎月《まいつき》7日《なのか》ごろ発売《はつばい》

ARIA《アリア》の最新情報《さいしんじょうほう》はこちらをチェック！ http://aria-comic.jp

Twitter ID:@ARIA_henshubu LINE ID:@aria

暁《あかつき》かおり

おこぼれ姫《ひめ》と円卓《えんたく》の騎士《きし》

（原作／石田リンネ キャラクター原案／起家一子）

①～

最強王女《さいきょうおうじょ》レティの騎士集《きしあつ》め!!

天城《あまぎ》れの

チェリせん！

全《ぜん》1巻《かん》

いなだ詩穂《しほ》

悪夢《あくむ》の棲《す》む家《いえ》 ゴーストハント

（原作／小野不由美）

①～②

幻《まぼろし》の本格《ほんかく》ミステリーホラー!!

今村陽子《いまむらようこ》

乙女《おとめ》×乱舞《らんぶ》

和深《かずみ》ゆあな

だから金田《かねだ》は恋《こい》ができない

全《ぜん》2巻《かん》

木乃《きの》ひのき

NO《ナンバー》・6《シックス》

（原作／あさのあつこ）

全《ぜん》9巻《かん》

紫苑《しおん》とネズミのあまりに過酷《かこく》な青春《せいしゅん》！

キリシマソウ

嘘《うそ》つきボーイフレンド

①～

くまだゆか

下天《げてん》の華《はな》

（原作・監修／ルビーパーティー）

①～

オロマシリーズ最新《さいしん》コミカライズ

車谷晴子《くるまたにはるこ》

兄《あに》が妹《いもうと》で妹《いもうと》が兄《あに》で。

①～⑤

いろいろ内緒《ないしょ》のＴＳ《トランスセクシャル》ラブコメ♡

黒榮《くろえ》ゆい

K《ケー》 ～メモリー・オブ・レッド～

K《ケー》 ～デイズ・オブ・ブルー～

（ストーリー原作／来楽零（GoRA） 原作／GoRA・GoHands）

全《ぜん》3巻《かん》

①～

桑原草太《くわはらそうた》

はにらび！

全《ぜん》1巻《かん》

ュートで和《なご》める"うさ耳《みみ》"コミック

湖住《こずみ》ふじこ

戦国《せんごく》ブラッド ～薔薇《ばら》の契約《けいやく》～

（原作／広井王子）

全《ぜん》4巻《かん》

コダマナオコ

ばけものくらぶ

（原作／日日日《あきら》）

全《ぜん》2巻《かん》

櫻井《さくらい》しゅしゅしゅ

二世《にせ》の契《ちぎ》り

（原作・監修／アイディアファクトリー）

全《ぜん》4巻《かん》

SSG《エスエスジー》 ～名門男子校血風録《めいもんだんしこうけっぷうろく》～

①～

紗与《さよ》イチ

十三支演義《じゅうさんしえんぎ》 ～偃月三国伝《えんげつさんごくでん》～

（原作・監修＝アイディアファクトリー／RED）

全《ぜん》4巻《かん》

そにしけんじ

甘党《スイーツ》ペンギン

甘党《スイーツ》ペンギン ドーナツの巻

霜月《しもつき》かいり

ナイトメア・エクスプレス

①～

動《うご》く城《しろ》の城主《じょうしゅ》の趣味《しゅみ》は不幸集《ふこうあつ》め!?

硝音《しょうおと》あや

純血《じゅんけつ》＋彼氏《かれし》

①～⑧

切《せつ》なく甘《あま》い吸血鬼《ヴァンパイア》ストーリー！

駿河《するが》ヒカル

進撃《しんげき》の巨人《きょじん》 悔《く》いなき選択《せんたく》

（原作／諫山創（『進撃の巨人』） ストーリー原案／砂阿久雁（ニトロプラス） 協力／「進撃の巨人」製作委員会）

①～

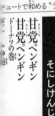

巨人《きょじん》との遭遇《そうぐう》で
次々《つぎつぎ》と犠牲《ぎせい》をはらう
調査兵団《ちょうさへいだん》・・・
グワッ
う…うあぁぁ…
すっげぇ!!
壁外調査《へきがいちょうさ》の行方《ゆくえ》は
リヴァイ達《たち》とエルヴィンの思惑《おもわく》は
果《は》たして——!?
そして、その日《ひ》は訪《おとず》れる——。
進撃《しんげき》の巨人《きょじん》
悔《く》いなき選択《せんたく》 2

次《じ》巻《かん》予《よ》告《こく》
遂《つい》に壁《かべ》の外《そと》へ向《む》かった
リヴァイ達《たち》 調《ちょう》査《さ》兵《へい》団《だん》――…
2014年《ねん》8月《がつ》発《はつ》売《ばい》予《よ》定《てい》

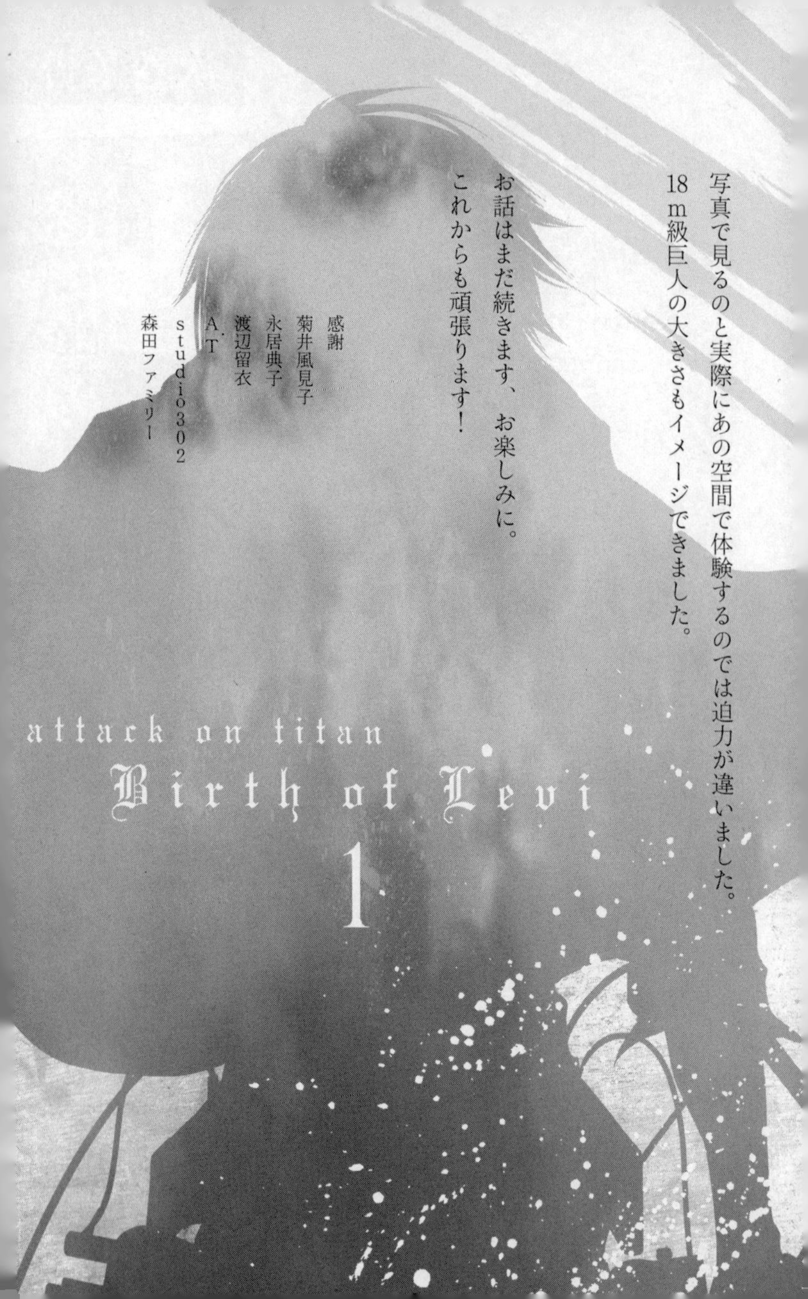

写真で見るのと実際にあの空間で体験するのでは迫力が違いました。
18ｍ級巨人の大きさもイメージできました。

お話はまだ続きます、お楽しみに。
これからも頑張ります！

感謝
菊井風見子
永居典子
渡辺留衣
Ａ．Ｔ
ｓｔｕｄｉｏ３０２
森田ファミリー

はじめまして駿河ヒカルです。
読んでくださって有難うございます！

大好きな「進撃の巨人」のお話が描けてとても幸せです。
この「悔いなき選択」は、原作の諫山創先生の世界に、
ニトロプラスの砂阿久雁さんの世界が加わって生み出されました。
それを元に私が描いた漫画版も、楽しんでいただけたら嬉しいです。
貴重な機会を与えてくれた全ての方に感謝しています。

連載を始める前に、リヴァイ達が住んでいた地下街のイメージを膨らませるために
編集長に教えてもらって首都圏外郭放水路というところに見学に行きました。
高さ18ｍのコンクリートの柱が天井に向かってたくさん伸びている不思議な空間です。
地下街の雰囲気を想像しながら、これから始まるリヴァイたちのお話に胸をワクワクさせていました。

To be continued...

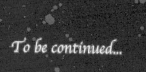

……ふざけるなよ…
ドドッ
やっぱスゲェぜ兄貴《あにき》!!
お前《まえ》らもよくやった
トッ
やはりその翼《つばさ》は本物《ほんもの》か——
リヴァイ
第2巻につづく

ザクッ

ギュイイイイ
ザザザ

ふんっ!!
ザシュ
グラッ

ド
オッ
パンッ

今《いま》だ やれ!!
いくぜ ファーラン!!
ああもう 仕《し》方《かた》ねえっ!!

ギュイイイイイ
ザ
ズ
ド
ぐぐ…

パシュ
ザクッ
ドッ

俺《おれ》が巨人《きょじん》に取《と》り付《つ》いて注意《ちゅうい》を引《ひ》く
お前《まえ》らはヤツの膝《ひざ》を折《お》って機動力《きどうりょく》を奪《うば》えいいな
楽勝《らくしょう》!!
ハイハイっと

さっきの腕《うで》振《ふ》りが厄介《やっかい》だが
その間《あいだ》コイツは足《あし》を止《と》めるはずだ
ドッ ドッ ドッ ドッ ドッ
ブル…
クソ…でけぇな…
ああ…こんなの倒《たお》せるわけねぇ…
ねぇけど……

ドオッ
イザベル
ファーラン
行《い》くぞ!!
畜生《ちくしょう》!!
こんな目《め》にあうなら
ドブ水《みず》すってた方《ほう》が
マシだったぜ!!
ファーランいい加減《かげん》
覚悟《かくご》を決《き》めな!!
ま…
待《ま》て!!
お前《まえ》ら!!
……

サイラム 俺《おれ》に続《つづ》け!!
迷《まよ》っている時《じ》間《かん》はない!!
はいっ!!
!?
貴様《きさま》…
何《なん》のつもりだ!?
お前《まえ》ら巨人《きょじん》は甘《あま》くないと言《い》っていたな?
だったらナメた戦《たたか》い方《かた》してんじゃねぇ

ドスッ
ド
クソッ また走《はし》り出《だ》したぞ!!
ドス
ドス
やれるか…!?
俺達《おれたち》だけで…!!
いや やる!!
命《いのち》に代《か》えても…
だが どう攻《せ》める!?

グッ
なんってぇ デカさだ コイツは
ドッドッドッドッ

ブン
うわあああああ!!
ブン
うっ!!
ドッ
あ…

いける！
うなじが狙《ねら》える!!
うおおおおおお
おおおおお
!?
クシッ

うわああああ
グワッ
あああ
う…うあああ…
バキッ
動《うご》きが止《と》まった!!

巨人《きょじん》を荷馬車《にばしゃ》に近《ちか》づけるな!!
クソ…よりによって新兵《しんぺい》ばかりのこの班《はん》に奇行種《きこうしゅ》とは…
平地《へいち》での戦闘《せんとう》は困難《こんなん》を極《きわ》めるぞ!!
うおおおおっ!!
パシュ

まずいぞ…
こいつは――
奇《き》行《こう》種《しゅ》だ!!
そっちに向《む》かったぞ!!
ダメです!! 隊《たい》が伸《の》びきってる!!
荷《に》馬《ば》車《しゃ》の周《まわ》りがガラ空《あ》きだ!!
フラゴン隊《たい》!!
距《きょ》離《り》を縮《ちぢ》めて死《し》守《しゅ》せよ!!

!!!
もう1体《たい》隠《かく》れてやがった!!
20m級《メートルきゅう》こちらに向《む》かってきます!!
俺《おれ》たちがひきつける!!
後衛《こうえい》は速度《そくど》を上《あ》げて振《ふ》り切《き》れ!!
森《もり》の中《なか》へ誘導《ゆうどう》する!!
ドッドッドッドッ
おい このウスノロ こっちだ!!
どうした!!
こっちを向《む》かないか!!

森《もり》から出《だ》すな!!
立《りっ》体《たい》機《き》動《どう》に移《うつ》るぞ!!
ドドドドド
ズ

左《ひだり》手《て》前《ぜん》方《ぽう》森《しん》林《りん》の中《なか》15m《メートル》級《きゅう》!!
こちらに向《む》かってきます!!
近《ちか》いな…やり過《す》ごすのは無《む》理《り》か…
やむをえん!! 応《おう》戦《せん》する!!
前《ぜん》衛《えい》は俺《おれ》と来《こ》い!!
本《ほん》隊《たい》はそのまま目《もく》的《てき》地《ち》である補《ほ》給《きゅう》所《じょ》へ前《ぜん》進《しん》せよ!!

巨《きょ》人《じん》発《はっ》見《けん》!!

実戦《じっせん》は訓練《くんれん》とは違《ちが》うからな…
フン
いくらお前《まえ》が強《つよ》くたって相手《あいて》は巨人《きょじん》なんだ
何《なに》が起《お》こるか…
……
確《たし》かにそうだぜ リヴァイ

なんだ 貴様《きさま》…
よせ!! サイラム!!
!
しかし… 分隊長《ぶんたいちょう》!!
気《き》を鎮《しず》めろ この先《さき》 新陣形《しんじんけい》の訓練《くんれん》が 控《ひか》えてるんだぞ
いつ巨人《きょじん》が 出《で》てくるか 分《わ》からん状況《じょうきょう》で 隊列《たいれつ》を乱《みだ》すな

あんたは そう言《い》うけどさ
俺《おれ》が巨人《きょじん》を倒《たお》したら そいつらみんな ゴロツキ以下《いか》ってことに なっちまうぜ
なん… だとぉっ!?
この…
ちっ
!

おい誰《だれ》がびびってるって!?
任《まか》せときなファーラン
巨人《きょじん》なんて俺《おれ》がチョチョイと始末《しまつ》してやるから
お前《まえ》なぁ…
ふざけるなっ!!
巨人《きょじん》はお前《まえ》らが考《かんが》えてるような甘《あま》っちょろいものじゃない!!
これまで何人《なんにん》の優秀《ゆうしゅう》な兵士《へいし》が巨人《きょじん》に食《く》われてきたと思《おも》ってる!?
地下《ちか》のゴロツキどもが…調子《ちょうし》に乗《の》りやがって——
なぁ

はぁ…
最悪《さいあく》だぜ…壁《かべ》の外《そと》に出《で》ちまうなんて
計画通《けいかくどお》りなら今頃《いまごろ》例《れい》のブツを手《て》に入《い》れてずらかってたハズなのに
エルヴィンの奴《やつ》どこに隠《かく》してるんだ…
心配《しんぱい》するな巨人《きょじん》は俺《おれ》がなんとかする
いくらお前《まえ》でも巨人《きょじん》が相手《あいて》じゃ——
俺《おれ》を信《しん》じないのか？
いやそういうわけじゃないが…
ケケケファーランびびってやんの！

すっげえ!!
ああ
悪《わる》くねぇ

ドッ
ドドドドド
ドッドッドッドッドッ

カタカタカタ
なぁ…
今《いま》からでもいい…誰《だれ》か…
嘘《うそ》だって言《い》ってくれよ…
ああ
嘘《うそ》みたいな話《はなし》だ
はぁ!!
地下《ちか》にいた人間《にんげん》が壁《かべ》の外《そと》に出《で》るなんてな
ぐっ

ドドドッ

ドドドドド

ヒュオオオオオオオ
全《ぜん》員《いん》
前《ぜん》進《しん》!!

今日《きょう》また一歩《いっぽ》我々《われわれ》は前進《ぜんしん》する!!
訓練《くんれん》の成果《せいか》を見《み》せてくれ!!
ザワ
ザワ
人類《じんるい》の力《ちから》を思《おも》い知《し》らせてやるのだ!!
ゴゴゴゴゴ

開《かい》門《もん》始《はじ》めーっ!!
開《かい》門《もん》始《はじ》め!!
ギィィ!
ゴゴゴゴ

数《すう》カ月《げつ》後《ご》——
シガンシナ区《く》南《なん》端《たん》

第《だい》4話《わ》 証明《しょうめい》

進撃の巨人
悔いなき選択

進撃の巨人
悔いなき選択

このまま
何《なに》もなければいいが…
キィ…
キョロ…
ス…
パタン

ヒュオオオオオ
「変革《へんかく》の一翼《いちよく》」――
果《は》たして
手放《てばな》しで歓迎《かんげい》できるものか――

ビュオッ
…なんなんだよ…
あの速《はや》さは…
…逆手《さかて》だと…？
……
ダッ
確《たし》かに戦力《せんりょく》としては申《もう》し分《ぶん》ないようだが…
しばらくは軋轢《あつれき》を生《う》みそうだな…

◆◆◆◆◆◆◆◆◆◆◆ ARIAコミックス愛読者カード ◆◆◆◆◆◆◆◆◆◆◆

1 お買い上げいただいた本のタイトルをお書きください。

□巻

2 この本をお買い上げいただいたきっかけを教えてください。（複数回答可）

A ARIA連載時から好きだった　B 著者のファンだから　C 原作・原作者のファンだから
D 友人からすすめられて　E サイト・ブログ等で評判を聞いて　F カバーイラストに惹かれて
G カバーデザインに惹かれて　H タイトルに惹かれて　I フェア・キャンペーンに惹かれて

3 この本についての感想を教えてください。

A 絵は →	□とても良い	□良い	□普通	□あまり良くない	□悪い
B ストーリーは →	□とても良い	□良い	□普通	□あまり良くない	□悪い
C キャラクターは →	□とても良い	□良い	□普通	□あまり良くない	□悪い
D タイトルは →	□とても良い	□良い	□普通	□あまり良くない	□悪い
E デザインは →	□とても良い	□良い	□普通	□あまり良くない	□悪い
F 価格は →	□とても良い	□良い	□普通	□あまり良くない	□悪い
G 総合では →	□とても良い	□良い	□普通	□あまり良くない	□悪い

4 この作品で好きなキャラクターは誰ですか？ その理由も教えてください。

「好きなキャラ　」　「その理由　」

5 この巻で一番印象に残ったセリフとシーンはどこですか？

「セリフ　」　「シーン　」

6 あなたは「ARIA」を購入していますか？

A 毎月購入している　B ときどき購入している　C 購入していない

7 この作品以外に買っているコミックス、ライトノベルを教えてください。

コミックス

ライトノベル

8 この本へのご感想やご意見、著者の先生への応援メッセージなどをお書きください。

（編集部経由で先生にお渡しする場合があります。）

ご感想・ご意見をARIA本誌やコミックスに掲載してもよろしいですか。　□はい　□いいえ
掲載の際のペンネームがあればお書きください。（　　　　）

ご協力ありがとうございました。

郵便はがき

52円切手
を貼って
お送りください

1 1 2 - 8 0 0 1

東京都文京区音羽2-12-21
株式会社講談社 ARIA編集部

ARIAコミックス係 行

このたびはARIAコミックスをお買い上げいただき、ありがとうございます。
今後の企画並びに雑誌作りの参考とさせていただきますので
アンケートにご協力をお願い致します。

住所	〒□□□-□□□□ 都道府県

氏名	フリガナ	年齢	歳	性別	男・女

職業	①小学生以下 ②中学生 ③高校生 ④大学生 ⑤専門学校生 ⑥会社員 ⑦アルバイト ⑧専業主婦 ⑨自営業 ⑩その他

※いただいた個人情報は、上記目的以外には使用いたしません。また使用後は、すみやかに破棄いたします。 http://www.kodansha.co.jp/privacy/
※このおハガキではARIAコミックスフェアにご応募できませんのでご了承ください。

しくじった!!
カチャ

タッ
!
お先《さき》っ
……
ダッ
おい!!
避《よ》けろ!!
!?

しまった
少《すこ》し浅《あさ》かったか…!
ちっ…
クソ…
ふざけるなよ…
死《し》ぬ気《き》で訓練《くんれん》してきた俺《おれ》が犯罪者《はんざいしゃ》なんかに…
ゴオオオオオ
俺《おれ》は断《だん》じて認《みと》めん!!

得体《えたい》の知《し》れないゴロツキが…
ヒュオオオオオオオオ
兵士《へいし》としての心得《こころえ》もない流《なが》れ者《もの》の分際《ぶんざい》で…
ガ
ガ

ドオッ
ア゛・アーッ
ギィィィィ
ジュッ

貴様《きさま》…
なんだ その持《も》ち方《かた》は
これは そのような持《も》ち方《かた》を 想定《そうてい》して 作《つく》られていない
壁外《へきがい》で 真《ま》っ先《さき》に 死《し》にたいのか
……
てめぇなら そうなるかもな
チャキ
なんだと…
要《よう》は巨人《きょじん》の うなじが削《そ》げりゃ いいんだろうが
俺《おれ》は好《す》きに させてもらう
くっ…

あぁ
ありがとう
今《いま》行《い》く
パタン

そんなに腕《うで》の立《た》つ奴《やつ》なのか
ケンカ売《う》るのはやめておいた方《ほう》がいいですよ
おっと
お喋《しゃべ》りはこの辺《へん》にしないと
エルヴィン分隊長《ぶんたいちょう》が見《み》てる
あの部屋《へや》？
俺達《おれたち》も偉《えら》くなったら個室《こしつ》が貰《もら》えるんだぜ
さぁ訓練《くんれん》の続《つづ》きだ
分隊長《ぶんたいちょう》時間《じかん》です

へぇ…リヴァイに…
そう！兄貴《あにき》は地下《ちか》でも一番《いちばん》強《つ》えーんだ！
ファーランもそうなの？
あぁファーランは――
ひとたまりもなかったですよ
俺《おれ》の仲間《なかま》もまとめて全員《ぜんいん》あっという間《ま》に返《かえ》り討《う》ちでしたね
それ以来《いらい》ずっとつるんでる
あいつはリーダーに祭《まつ》り上《あ》げられて迷惑《めいわく》かもしれないですがね

ブルルルッ
……
どう
タタタッ
驚《おどろ》いた…
こんなに早《はや》く慣《な》れるとは思《おも》わなかったよ
ハァ…
あぁ 地下《ちか》にいた頃《ころ》から動物《どうぶつ》は得意《とくい》なんだ!
ポンポン
一番《いちばん》厄介《やっかい》なのは人間《にんげん》さ
……
上官《じょうかん》や皆《みんな》は地下出身《ちかしゅっしん》だからって悪《わる》く言《い》うけど…
地下《ちか》で生《い》きるのも大変《たいへん》だったんじゃないの?
……
うーん そうだなー
俺《おれ》は生《う》まれも育《そだ》ちも地下《ちか》だからゴミまみれなのが当《あ》たり前《まえ》だったけど
死《し》にそうな所《ところ》を兄貴《あにき》に助《たす》けられてからは少《すこ》しはマシになったかな

おおーっ
へへっ
おいでおいでーっ!!
そおー
れっ!!

はぁ!!
ヒョイ
とうっ!!
パシュッ

バターン
ベッドの周《まわ》りを綺麗《きれい》にしろ
塵《ちり》ひとつ残《のこ》すなよ
……
今《いま》すぐにか…？
俺《おれ》に騒動《そうどう》を起《お》こさせたくないんだろう？

気持《きも》ちは分《わ》かるが
それについては――
ファーラン
お前《まえ》の計画《けいかく》には
のるが
奴《やつ》を殺《や》るのは俺《おれ》だ
……
分《わ》かってるさ
――だが
チラ
その前《まえ》に――

ガシガシ
足《た》し算《ざん》なんて 生《い》きてくのに 必要《ひつよう》ねぇし…
ファーランは メシの代《か》わりに数字《すうじ》でも 食《く》ってりゃいいんだ
だがな ファーラン
グッ
うっ
お前《まえ》の計画《けいかく》では あの金髪《きんぱつ》の隊《たい》へ 入《はい》るはずじゃ なかったか？
多少《たしょう》の誤差《ごさ》は 勘弁《かんべん》しろ
兵団《へいだん》には入《はい》れたんだ 壁外調査《へきがいちょうさ》までに ブツを見《み》つけさえ すれば…
ドッ
それだけじゃ ねぇ
あいつの始末《しまつ》も 残《のこ》ってる

おい!!
誰《だれ》が頭悪《あたまわる》いって!?
18＋22はいくつだ?
えっ
えっと8と2を足《た》して…
40だ馬鹿《ばか》
てっ
ゴッ
兄貴《あにき》まで馬鹿《ばか》って…
面倒《めんどう》くせぇな馬鹿《ばか》

あぁ もう…
ここにいる目的《もくてき》を忘《わす》れたんじゃないだろうな?
覚《おぼ》えている
だったら!
あの書類《しょるい》を手《て》に入《い》れるまでなるべく団員《だんいん》に警戒心《けいかいしん》を持《も》たれない
面倒《めんどう》くせぇな…
——…
兄貴《あにき》を困《こま》らすなよファーラン!!
地下街《ちかがい》みたく全員《ぜんいん》ぶちのめしちゃえばいいじゃん!
ヒョイ
うるさい
頭《あたま》の悪《わる》いヤツは黙《だま》ってろ

ドタン
ケケケッ
リヴァイ
騒動《そうどう》は起《お》こすなって言《い》っただろう!!
お前《まえ》にはクソがクソを汚《きた》ねぇって言《い》ってるように聞《き》こえなかったのか?
…あのなぁ…
兵隊のイビリってやつは陰湿《いんしつ》なんだぞ こんなことで目《め》をつけられたら…
フン
つまらん真似《まね》をしやがったら相応《そうおう》の礼《れい》をしてやるだけだ

てめぇ…今《いま》なんて言《い》った？
なに…？
貴様《きさま》ぁっ上官《じょうかん》に向《む》かってその態度《たいど》はなんだ!!
あーーっと
大丈夫《だいじょうぶ》です分隊長《ぶんたいちょう》さん!!綺麗《きれい》に使《つか》いますから!!
なっ？
……
ちっ
荷物《にもつ》の整理《せいり》がついたら訓練場《くんれんじょう》へ来《こ》い
チャーチには正《ただ》しい敬礼《けいれい》から叩《たた》き込《こ》んでやる

コツ…
ス…
パラ…
……
？
パラパラ…
お前《まえ》ら ずっと
地下《ちか》のごみ溜《た》めで
暮《く》らしてきたんだ
ろうが
ここは
清潔《せいけつ》に使《つか》えよ
あ？

ガチャ
ここが兵員宿舎《へいいんしゅくしゃ》だ
…結構《けっこう》な数《かず》だな…
やった!! みーんな一緒《いっしょ》の部屋《へや》ってことか!?
女子《じょし》は別棟《べつむね》だ
えーっ
俺《おれ》もここがいい!!
無茶《むちゃ》言《い》うなイザベル
……
なんだよファーランのケチ!
俺《おれ》に言《い》うなよ…
ツカツカツカ
ここがお前《まえ》たちの寝床《ねどこ》だ
……

なんだ
不満《ふまん》か？
いいえ てっきり
エルヴィン分隊長《ぶんたいちょう》の
下《もと》へ入《はい》ると思《おも》って
いたものですから…
エルヴィンには
壁外調査《へきがいちょうさ》で行《おこな》う
新陣形《しんじんけい》に備《そな》え
全体指揮《ぜんたいしき》の補佐《ほさ》を
まかせる
そのため彼《かれ》に
新兵《しんぺい》の面倒《めんどう》を見《み》る
余裕《よゆう》はない
わかったか？
はっ！
承知《しょうち》しました!!
以上《いじょう》だ
それでは
各分隊《かくぶんたい》
報告事項《ほうこくじこう》の
ある者《もの》――

グッ
イザベル・マグノリア
よろしく頼《たの》むぜ!!
トン
ファーラン・チャーチ
…です
……
……
……
3人《にん》はフラゴンの分隊《ぶんたい》へ入《はい》る
フラゴン
面倒《めんどう》を見《み》てやれ
じ…
自分《じぶん》の隊《たい》でありますか!?

……
リヴァイだ…

全《ぜん》員《いん》注《ちゅう》目《もく》!!
ザッ
今日《きょう》から
我々《われわれ》と共《とも》に戦《たたか》う
3人《にん》を紹介《しょうかい》する
お前達《まえたち》
皆《みな》へ挨拶《あいさつ》しろ

…君《きみ》の言《い》い分《ぶん》はもっともだ
彼《かれ》らが原因《げんいん》で我々《われわれ》に命《いのち》の危険《きけん》が及《およ》ばないとも限《かぎ》らない
部下《ぶか》になんと伝《つた》えればよいのです…
フラゴン分隊長《ぶんたいちょう》
君《きみ》の言《い》いたい事《こと》はよく理解《りかい》できる
現《げん》に彼《かれ》らは兵士《へいし》の体《てい》をなしていない迷惑《めいわく》もかけるだろう
だが この先《さき》必《かなら》ずや兵団《へいだん》の変革《へんかく》の一翼《いちよく》を担《にな》ってくれるはずだ
「変革《へんかく》の一翼《いちよく》」か…
彼《かれ》らにとって壁外遠征《へきがいえんせい》が最《もっと》も重《おも》い罪《つみ》にならぬよう祈《いの》っておくよ

調査兵団本部《ちょうさへいだんほんぶ》
正直《しょうじき》に言《い》って屈辱的《くつじょくてき》です
正規《せいき》の訓練《くんれん》を経《へ》てきた我々《われわれ》に犯罪者《はんざいしゃ》どもを受《う》け入《い》れろというのですか…

第《だい》3話《わ》 変革《へんかく》の…

進撃の巨人

悔いなき選択

俺《おれ》も!! 信《しん》じよう!!
ビック
イザベル…
全《ぜん》員《いん》注《ちゅう》目《もく》!!

ファーラン
決《き》めたよ今《いま》は殺《ころ》さねぇ
お前《まえ》を信《しん》じよう

こんな風《ふう》に見《み》上《あ》げるのはずいぶん久《ひさ》しぶりだ

独《ひと》り占《じ》めなんてずるいぞ
こっそり一人《ひとり》でいなくなっちまうんだもんな
お前《まえ》らがいたらうるさくておちおち暗殺《コロシ》もできやしねぇからな
……
へへっ
星《ほし》ってぐるぐる回《まわ》ってるってあれホントか？
そうらしいぜ
兄貴《あにき》が元々《もともと》いた所《ところ》とどっちのほうが綺麗《きれい》なんだ？
…さあな…

殺《や》ったのか…？
……
「これはチャンスなんだ俺《おれ》を信《しん》じろ」
綺麗《きれい》だなぁ

うっぐ
地下《ここ》は底《そこ》なしだ…だから俺《おれ》は――
…ろしてやる…
リヴァイ…

……
キィ…
ひっく
うぐっ
殺《ころ》…す!
ううっ…
殺《ころ》して…
やる!
えぐっ
殺《ころ》…
…どいつもこいつも
他人《たにん》をてめえの所《ところ》まで
引《ひ》きずり降《お》ろすことしか
頭《あたま》に無《ね》ぇんだ

なんでもねぇ
まさか…また下《した》の階層《かいそう》の奴《やつ》らに会《あ》いにいったのか？
うるせぇな!! ちょっと転《ころ》んだだけだ!!
髪《かみ》の毛《け》はどうした
…!!
こんなの
すぐ生《は》えてくる!!
……

今《いま》までは計画倒《けいかくだお》ればっかりだったが
お前《まえ》がいれば多少《たしょう》の無茶《むちゃ》もやれそうだ
調査兵団《ちょうさへいだん》に入《はい》ったら――
イザベル？
お前《まえ》――
なにがあった？
……

お前達《まえたち》
こっちへ来《こ》い
！
コッ
リヴァイ！
……
ズッ
「──俺《おれ》は本気《ほんき》だぜ」
「いつか
こんなゴミ溜《た》め抜《ぬ》け出《だ》して
上《うえ》で暮《く》らすんだ」

俺《おれ》の計画《けいかく》を覚《おぼ》えてるだろ？
もしまだ迷《まよ》ってるなら聞《き》いてくれ
あいつらのほうから接触《せっしょく》してくるなんてもう無《な》いぞ
今《いま》エルヴィンを殺《ころ》してしまったら意味《いみ》が無《な》い これはチャンスなんだ
きっとうまくいく
俺《おれ》を信《しん》じろ

調査兵団《ちょうさへいだん》に入《はい》るって
それってつまり――
…入《はい》るつもりはねぇ
ここに来《き》たのはあの金髪《エルヴィン》に近《ちか》づくためだ
あの野郎《やろう》――
隙《すき》を見《み》てすぐに殺《ころ》してやる
……
――なあ

近《ちか》いうちに接触《せっしょく》を図《はか》ります
調《ちょう》査《さ》兵《へい》団《だん》本《ほん》部《ぶ》
話《はなし》を通《とお》してくる そこを動《うご》くな
…リヴァイ

総統《そうとう》
先日《せんじつ》偶然《ぐうぜん》この目《め》で見《み》ましたが
キュ キュ
侮《あなど》れない腕前《うでまえ》だと思《おも》いました
特《とく》にリーダーらしき男《おとこ》は調査兵団《ちょうさへいだん》のベテランを凌《しの》ぐレベルかと
ほう
チャ
それは凄《すご》いな
少《すこ》しでも可能性《かのうせい》がある者《もの》は全《すべ》て今期《こんき》の壁外調査《へきがいちょうさ》へ投入《とうにゅう》してみるつもりです
まずは――

状況《じょうきょう》を変《か》えるためにも 今期《こんき》で大《おお》きな成果《せいか》を上《あ》げてきたまえ
以上《いじょう》だ
はっ
最善《さいぜん》を尽《つ》くします!!
総統《そうとう》
先日《せんじつ》お願《ねが》いした件《けん》はいかがでしょうか？
ん？ ああ
君《きみ》らが地下街《ちかがい》で行《おこな》う作戦《さくせん》についてだね 憲兵団《けんぺいだん》へ話《はなし》を通《とお》しておいたよ
ありがとうございます
しかし
いくら立体機動《りったいきどう》に長《た》けていても地下《ちか》のゴロツキが壁外調査《へきがいちょうさ》の役《やく》に立《た》つかね？
チャ

通《とお》ったよ
まさかロヴォフ議員《ぎいん》が意見《いけん》を変《か》えるとは思《おも》わなかったが——キース
君《きみ》はその理由《りゆう》に心当《こころあ》たりはあるかね？
いえ…自分《じぶん》はなにも…
そうか…
しかし 依然《いぜん》廃止《はいし》の声《こえ》は大《おお》きい
今回《こんかい》はなんとか了承《りょうしょう》を得《え》たが次回《じかい》があるかは保証《ほしょう》できん

君《きみ》に全《すべ》て任《まか》せよう
我《われ》々《われ》はなんとしても未来《みらい》への希望《きぼう》を繋《つな》がねばならん
はっ
まずは5日後《いつかご》の議会《ぎかい》へ最初《さいしょ》の一矢《いっし》を放《はな》ちます

絶《ぜっ》対《たい》に！
この男《おとこ》…
今《いま》まで私《わたし》ですら駒《こま》にしかねないとは思《おも》っていたが――
ググ
その恐《おそ》ろしいまでの知略《ちりゃく》はまさしく純粋《じゅんすい》に人類《じんるい》のために――
…分《わ》かった

だからこそ私《わたし》は
我《われ》々《われ》は
グッ
たとえどんな卑劣《ひれつ》な手段《しゅだん》を用《もち》いようとも
巨人《きょじん》から世界《せかい》を取《と》り戻《もど》す努力《どりょく》を放棄《ほうき》してはならないのです

もし壁《かべ》の中《なか》へ巨人《きょじん》が攻《せ》め込《こ》んでくれば一瞬《いっしゅん》で全《すべ》てが消《き》えてしまう…

私《わたし》は調査兵団《ちょうさへいだん》に入《はい》って実際《じっさい》に巨人《きょじん》と戦《たたか》うことで
人類《じんるい》がいかに危《あや》うい状況《じょうきょう》に置《お》かれているのかを知《し》りました
財産《ざいさん》も
権力《けんりょく》も
崇高《すうこう》な理念《りねん》も

君《きみ》は
なにか真《ま》っ当《とう》ではない手段《しゅだん》でロヴォフの意見《いけん》を変《か》えさせようとしているのだな？
……
…いくら壁外調査《へきがいちょうさ》のためとはいえ君《きみ》のような若者《わかもの》が…
王都《おうと》は伏魔殿《ふくまでん》だぞ…無事《ぶじ》帰《かえ》ってこられる算段《さんだん》はあるのか
団長《だんちょう》

私《わたし》に考《かんが》えがあります
考《かんが》え？
たとえ君《きみ》が貴族《きぞく》にツテを持《も》っていたとしても説得《せっとく》で動《うご》くような相手《あいて》ではないだろう？
…！
まさか…ロヴォフのほうか？
団長《だんちょう》
それ以上《いじょう》はお聞《き》きにならないでください
すべては私《わたし》が独断《どくだん》で行《おこな》うこと…

…そうか
俺《おれ》はどうも政治《せいじ》というやつが苦手《にがて》でな…
私《わたし》に任《まか》せていただけませんか?
……
どうするつもりだ?

それが事実《じじつ》だとして
我々《われわれ》はどうする？
総統《そうとう》に直訴《じきそ》でもするか？
ガラガラ
おそらく総統《そうとう》もある程度《ていど》はご存知《ぞんじ》だと思《おも》います
ガタ…
表沙汰《おもてざた》にならないのはなにか事情《じじょう》があるのでしょう
お着《つ》きです
ガチャッ
……

団長《だんちょう》思《おも》ったとおりでしたね
ガラガラガラ
…うむ…
やはり廃止派《はいしは》の中心《ちゅうしん》はニコラス・ロヴォフか…
ガラララ
私《わたし》が得《え》た情報《じょうほう》ではロヴォフは憲兵団《けんぺいだん》へ物資《ぶっし》を納品《のうひん》しているラング商会《しょうかい》と癒着《ゆちゃく》があり
壁外調査《へきがいちょうさ》の中止《ちゅうし》で浮《う》いた予算《よさん》をそちらへ回《まわ》そうと考《かんが》えているようです
！
その情報《じょうほう》は信頼《しんらい》出来《でき》るのか？
ロヴォフ側《がわ》が調査兵団《ちょうさへいだん》の内情《ないじょう》を探《さぐ》るために潜《もぐ》り込《こ》ませていた者《もの》を
逆《ぎゃく》に利用《りよう》して得《え》た情報《じょうほう》です信憑性《しんぴょうせい》は高《たか》いと思《おも》います

…承《しょう》知《ち》しました
ガラガラガラガラガラ
……
ガラララ…

しかし…
ここで止《や》めてしまっては
これまでの犠牲《ぎせい》が
無駄《むだ》になってしまいます！
エルヴィンの陣形《じんけい》を
使《つか》えば必《かなら》ずや——
キース
分《わ》かってくれ
……
……
中止《ちゅうし》はもう
決定《けってい》なのですか
5日後《いつかご》の議会《ぎかい》で
採決《さいけつ》だが…
覆《くつがえ》る事《こと》はないだろう

議会《ぎかい》の承認《しょうにん》が得《え》られんのだ
……
以前《いぜん》から壁外調査《へきがいちょうさ》の継続《けいぞく》に難色《なんしょく》を示《しめ》す議員《ぎいん》は多《おお》かった
ガタッ
これまでは私《わたし》がなんとか説得《せっとく》して予算《よさん》を通《とお》してきたが
今《いま》や民意《みんい》さえも君達《きみたち》を壁外《へきがい》に出《だ》すのをよしとしないようでね
…もちろん承知《しょうち》しております
今回《こんかい》はロヴォフ議員《ぎいん》が強《つよ》く廃止《はいし》を主張《しゅちょう》されてな
彼《かれ》は貴族院《きぞくいん》でも大《おお》きな影響力《えいきょうりょく》を持《も》ち同調《どうちょう》する取《と》り巻《ま》きも多《おお》い

これまでの壁外調査《へきがいちょうさ》では遭遇《そうぐう》した巨人《きょじん》をいかに倒《たお》すかばかりが重視《じゅうし》されてきたが
君《きみ》の提唱《ていしょう》した案《あん》ではいかに巨人《きょじん》との遭遇《そうぐう》を減《へ》らすかに重《おも》きが置《お》かれている
この逆転《ぎゃくてん》の発想《はっそう》は素晴《すば》らしい
評価《ひょうか》していただき光栄《こうえい》です
通常《つうじょう》の陣形《じんけい》とこの新陣形《しんじんけい》を併《あわ》せて使《つか》えば被害《ひがい》を抑《おさ》えつつより遠《とお》くまでの調査遠征《ちょうさえんせい》が可能《かのう》になるだろう
…総統《そうとう》…
ご理解《りかい》いただけているなら何故《なぜ》…

私《わたし》が提出《ていしゅつ》した資料《しりょう》はご覧《らん》いただけたでしょうか
実現《じつげん》すれば壁外調査《へきがいちょうさ》での死傷者《ししょうしゃ》は劇的《げきてき》に減《へ》るはずです
シャーディス団長《だんちょう》…いやキース
トッ
無論《むろん》 資料《しりょう》は見《み》させてもらった
〝長距離索敵陣形《ちょうきょりさくてきじんけい》〟これを考案《こうあん》したのは君《きみ》だそうだなエルヴィン？
はっ
世辞《せじ》ではなく本当《ほんとう》に感心《かんしん》したよ

ガラララララ
数《すう》週《しゅう》間《かん》前《まえ》
兵《へい》団《だん》総《そう》司《し》令《れい》部《ぶ》
納《なっ》得《とく》できません!!

第《だい》2話《わ》 一矢《いっし》

ガラガラガラガラ
ガラ
ガラ
ガラ

進撃の巨人

悔いなき選択

いいだろう
調《ちょう》査《さ》兵《へい》団《だん》に入《はい》ってやる

取引《とりひき》…?
お前《まえ》たちの罪《つみ》は問《と》わない
かわりに力《ちから》を貸《か》せ調査兵団《ちょうさへいだん》へ入団《にゅうだん》するのだ
「調査兵団《ちょうさへいだん》に入《はい》ったら——」
断《ことわ》ったら?
憲兵団《けんぺいだん》に引《ひ》き渡《わた》す
これまでの罪《つみ》を考《かんが》えればお前《まえ》はもとよりお前《まえ》の仲間《なかま》もまともな扱《あつか》いは望《のぞ》めんだろう
……
好《す》きな方《ほう》を選《えら》ぶがいい

……
リヴァイだ
リヴァイ
私《わたし》と取《とり》引《ひき》をしないか？

!
やるならさっさとやれよ!!
てめぇ……
お前《まえ》の名《な》前《まえ》は？

私《わたし》の名前《なまえ》はエルヴィン・スミス
お前《まえ》の名前《なまえ》は？
……
ゴポ…
バシャッ
がはっ
ぐっ…
ゲホッ
見上《みあ》げた根性《こんじょう》だが
このままではお前《まえ》の仲間《なかま》に手《て》をかけることになるぞ

誰《だれ》にも習《なら》ってねぇよ!!
公僕《こうぼく》の分際《ぶんざい》で偉《えら》そうにいばるな!!
ゴミ溜《た》めで生《い》きるために身《み》につけたのさ
下水《げすい》の味《あじ》も知《し》らねぇお前《まえ》らには分《わ》からんだろうよ

立体機動《りったいきどう》をどこで学《まな》んだ?

ザッ
ググ‥
ぐっ
もう一度《いちど》訊《き》こう

……
どうやって私《わたし》たちを殺《ころ》して逃《に》げてやろうかといった顔《かお》だな
できれば手荒《てあら》なマネはしたくないのだが…
コク
!
ガッ

……
……
立《りっ》体《たい》機《き》動《どう》の腕《うで》も見事《みごと》だった
あれは誰《だれ》に教《おそ》わった？
……
……
お前《まえ》がリーダーだな？
兵団《へいだん》で訓練《くんれん》を受《う》けた事《こと》があるのか？

離《はな》せっ!! このっ
分隊長《ぶんたいちょう》 ご無事《ぶじ》ですか!!
無駄《むだ》に暴《あば》れるな イザベル
……
ああ
2人《ふたり》ともよく やってくれた
いくつか 質問《しつもん》させてもらう
これを どこで手《て》に入《い》れた?

くっ
よせ！
周《まわ》りをよく見《み》ろ！

仕留《しと》めたか
エルヴィン
ググ..
……
いや

ドゴッ
ダッ

どこかに隠《かく》れていやがるのか?
パシュッ

ザッ
ゴッ
もう一《いっ》匹《ぴき》
いたはず——

ちょっと ムキに なっちまったか…
タッ
アイツら ヘマしてねぇと いいんだが
!!
ドッ
ガッ

タンッ
……来《こ》ねぇな

ドォッ

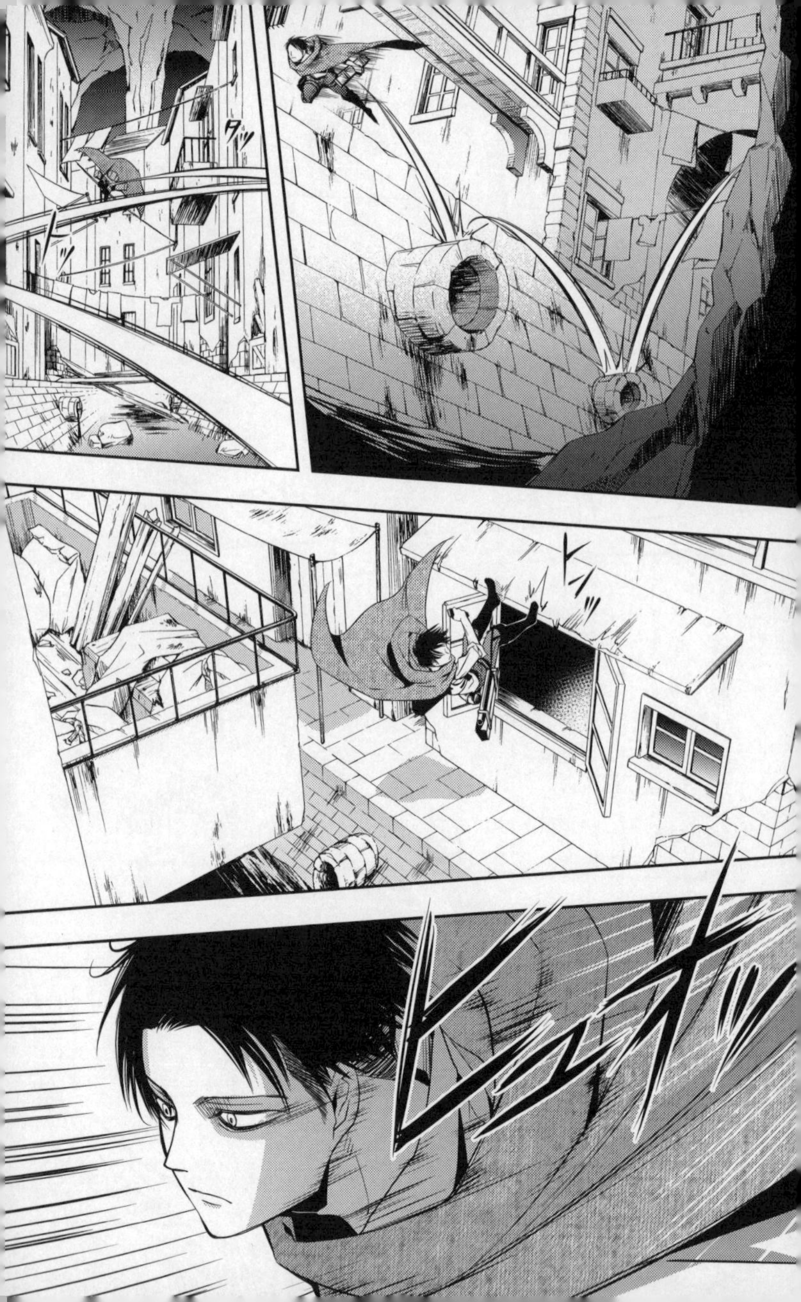
ダッ
トンッ
ヒュオッ

ヒュオオオオオ

ヒュオオオオ
リーダー格《かく》2人《ふたり》か
さて
調査兵団《ちょうさへいだん》の腕前《うでまえ》見《み》せてもらおうか

捕《つか》まらなきゃ いいんだ
いいんだ！
そうかよ！
お前《まえ》ら 分《わ》かってるな？
もち！
ハイハイ

リヴァイ
俺《おれ》はヤツらに関《かか》わるつもりは無《ね》ぇ
だが こうなった以上《いじょう》簡単《かんたん》に逃《に》げ切《き》れる相手《あいて》じゃないぞ
負《ま》けねぇ!!
一匹《いっぴき》残《のこ》らず泣《な》かしてやるぜ
クソ…
厄介《やっかい》なことになったな
もし捕《つか》まったりなんかしたら きっと この装置《そうち》も没収《ぼっしゅう》されるぞ
たとえ お咎《とが》め無《な》しでも面倒《めんどう》な事《こと》になっちまう

すれ違《ちが》う瞬間《しゅんかん》背中《せなか》の紋章《もんしょう》が見《み》えた
あれが
自由《じゆう》の翼《つばさ》だ
調査兵団《ちょうさへいだん》って壁外《へきがい》で実際《じっさい》に巨人《きょじん》と戦《たたか》ってるヤツらだろ？
さすが 実戦《じっせん》で鍛《きた》えてるヤツらは違《ちが》うな

ヒューッ
やるじゃん!!
っといけね…
……
さすがは調査兵団《ちょうさへいだん》か
なにっ
調査兵団《ちょうさへいだん》だって?
間違《まちが》いないのか!?
ああ

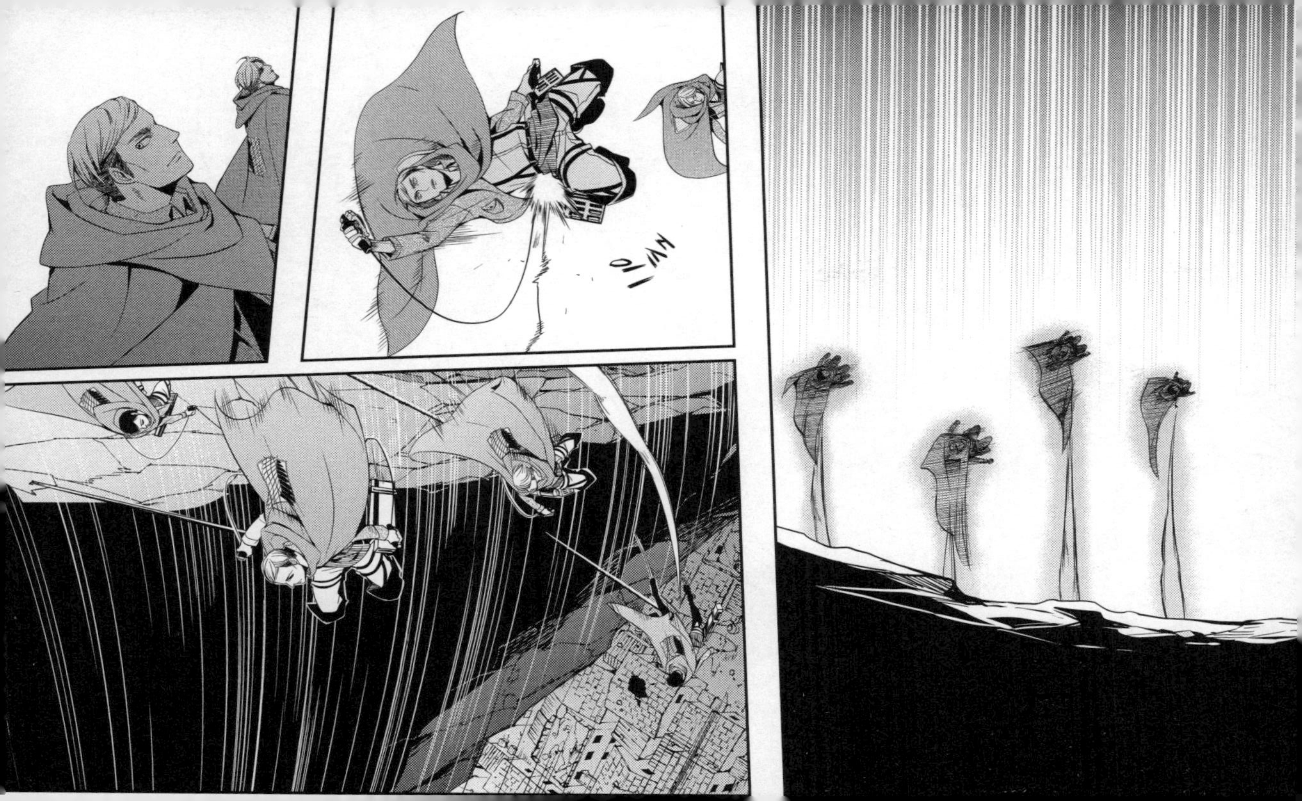

ザクッ

ガッ
グッ
ワッ

ヤツら…憲兵団《けんぺいだん》じゃないかもしれん
なにっそれじゃあ…
…確《たし》かめてやる
次《つぎ》の柱《はしら》で急旋回《きゅうせんかい》だ

……
憲兵団《けんぺいだん》のくせにやるじゃねぇの
今日《きょう》こそ本気《ほんき》出《だ》して捕《つか》まえようってか
地下《ちか》まで出張《しゅっちょう》してくるぐらい上《うえ》はヒマなのかね
王様《おうさま》の顔色《かおいろ》だけ窺《うかが》ってくれてりゃいいのに
迷惑《めいわく》な話《はなし》だ
いや…
それにしちゃ様子《ようす》がおかしい
そもそもあのグズの憲兵団《けんぺいだん》がこんなまともに働《はたら》くはずがねぇ
この人《ひと》ごみの中《なか》でまともに飛《と》べるってことは…まさか…

クソ…
この…ゴロツキどもが!!
おい
奴《やつ》らまだついて来《く》るぞ
しかもさっきより詰《つ》められてる

どいてどいてーっ!!
うわぁぁっ!!

パシュッ
ズッ
ドッ
いやっはー!!

いくぞ！

なあ兄貴《あにき》!! 今《いま》の台詞《せりふ》カッコよくね!?
馬鹿《ばか》か
なんにしろ このままアジトまで 招待《しょうたい》するわけには いかねえ
面倒《めんどう》くせえが…
ファーラン
おう
イザベル
おう

今《いま》や憲兵団《けんぺいだん》すら立《た》ち入《い》りを躊躇《ちゅうちょ》するほどだった
ヒュオオオオオ
タンッ
後方《こうほう》50m《メートル》に4人《にん》だ
こんな時間《じかん》まで仕事《しごと》とは頭《あたま》が下《さ》がるが…
奴《やつ》ら 今日《きょう》はずいぶんと少数《しょうすう》だ
フッ
また憲兵団《けんぺいだん》かこりない連中《れんちゅう》だぜ…

地下街《ちかがい》
古《ふる》い資料《しりょう》によれば
一時期《いちじき》巨人《きょじん》から
逃《のが》れるために
地下《ちか》で暮《く》らす事《こと》が
検討《けんとう》されていたが
結局《けっきょく》移住《いじゅう》は中止《ちゅうし》され
残《のこ》された廃墟《はいきょ》は
貧《まず》しい者《もの》や犯罪者《はんざいしゃ》の
住《す》み処《か》となった
スラムと化《か》した
深部《しんぶ》は王政《おうせい》から
見放《みはな》され

王都《おうと》周辺《しゅうへん》は豪華《ごうか》な宮殿《きゅうでん》が建《た》ち並《なら》び
そこに住《す》む人間《にんげん》は豊《ゆた》かな暮《く》らしを約束《やくそく》されていた
しかし
そんな華《はな》やかな王都《おうと》にも——
いや 華《はな》やかであるからこそ暗《くら》く淀《よど》んだ場所《ばしょ》が存在《そんざい》する
王都《おうと》を囲《かこ》む市街地《しがいち》
その地下《ちか》に存在《そんざい》する広大《こうだい》な居住空間《きょじゅうくうかん》

844

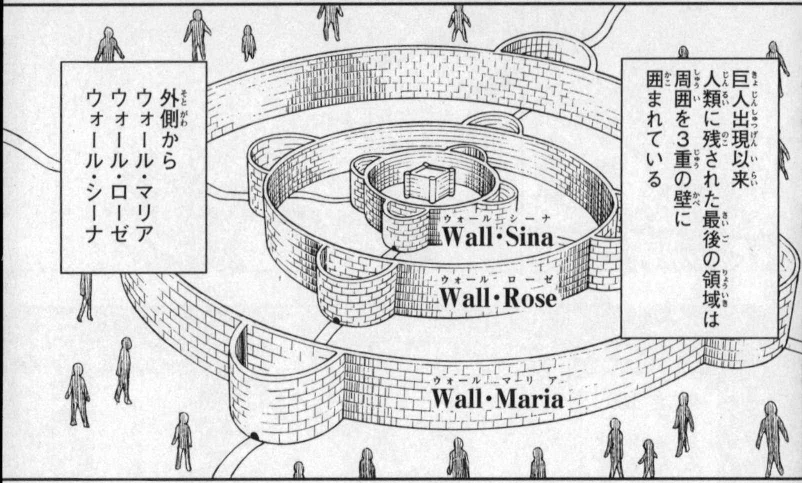

巨《きょ》人《じん》出《しゅつ》現《げん》以《い》来《らい》
人《じん》類《るい》に残《のこ》された最《さい》後《ご》の領《りょう》域《いき》は
周《しゅう》囲《い》を3重《じゅう》の壁《かべ》に
囲《かこ》まれている
外側《そとがわ》から
ウォール・マリア
ウォール・ローゼ
ウォール・シーナ
Wall《ウォール》・Sina《シーナ》
Wall《ウォール》・Rose《ローゼ》
Wall《ウォール》・Maria《マーリア》

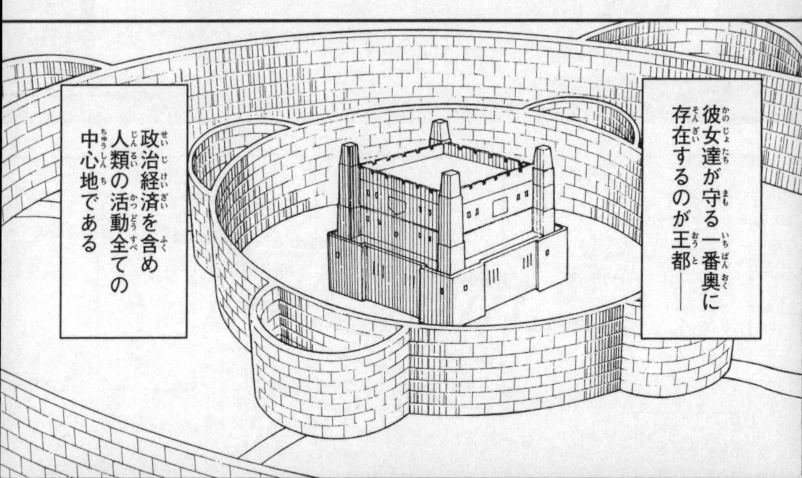

彼《かの》女《じょ》達《たち》が守《まも》る一《いち》番《ばん》奥《おく》に
存《そん》在《ざい》するのが王《おう》都《と》——
政《せい》治《じ》経《けい》済《ざい》を含《ふく》め
人《じん》類《るい》の活《かつ》動《どう》全《すべ》ての
中《ちゅう》心《しん》地《ち》である

ヒョオオオオーオ

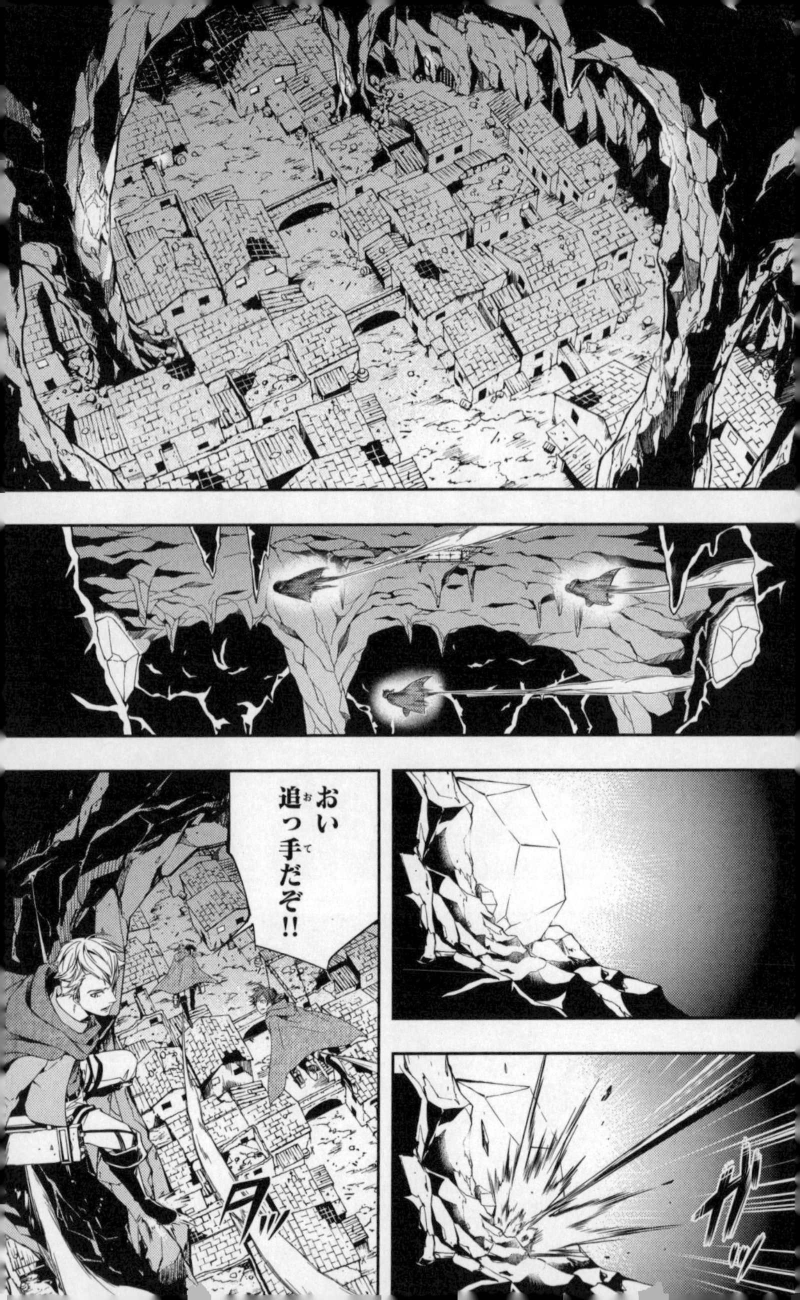
おい
追《お》っ手《て》だぞ!!
ダッ
ガッ

進撃の巨人
悔いなき選択

第《だい》1話《わ》　自由《じゆう》の翼《つばさ》

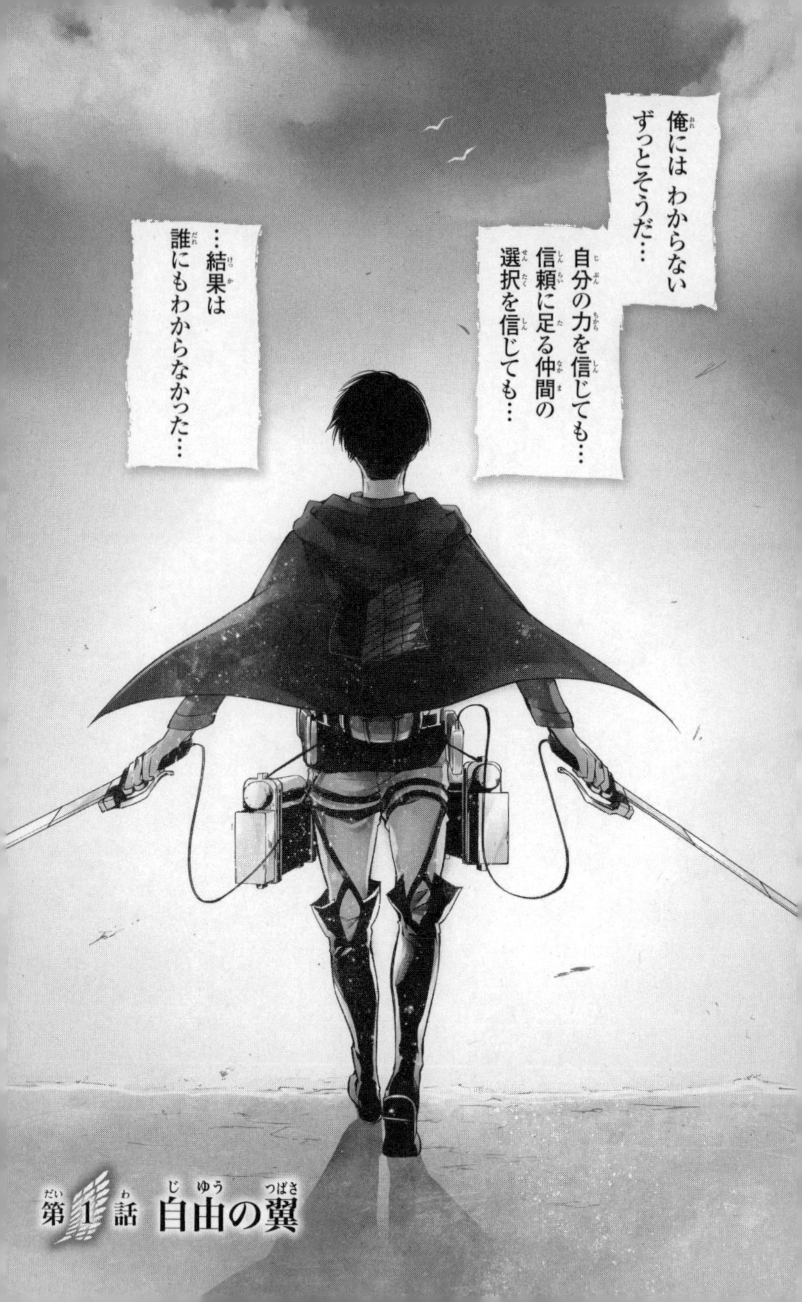

俺《おれ》には わからない
ずっとそうだ…
自分《じぶん》の力《ちから》を信《しん》じても…
信頼《しんらい》に足《た》る仲間《なかま》の
選択《せんたく》を信《しん》じても…
…結果《けっか》は
誰《だれ》にもわからなかった…
第《だい》1話《わ》 自由《じゆう》の翼《つばさ》